# Os milagres de Jesus

com a

TURMA DA MÔNICA ©

AM
EDITORA
AVE-MARIA

MAURICIO DE SOUSA
EDITORA

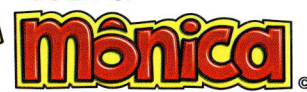

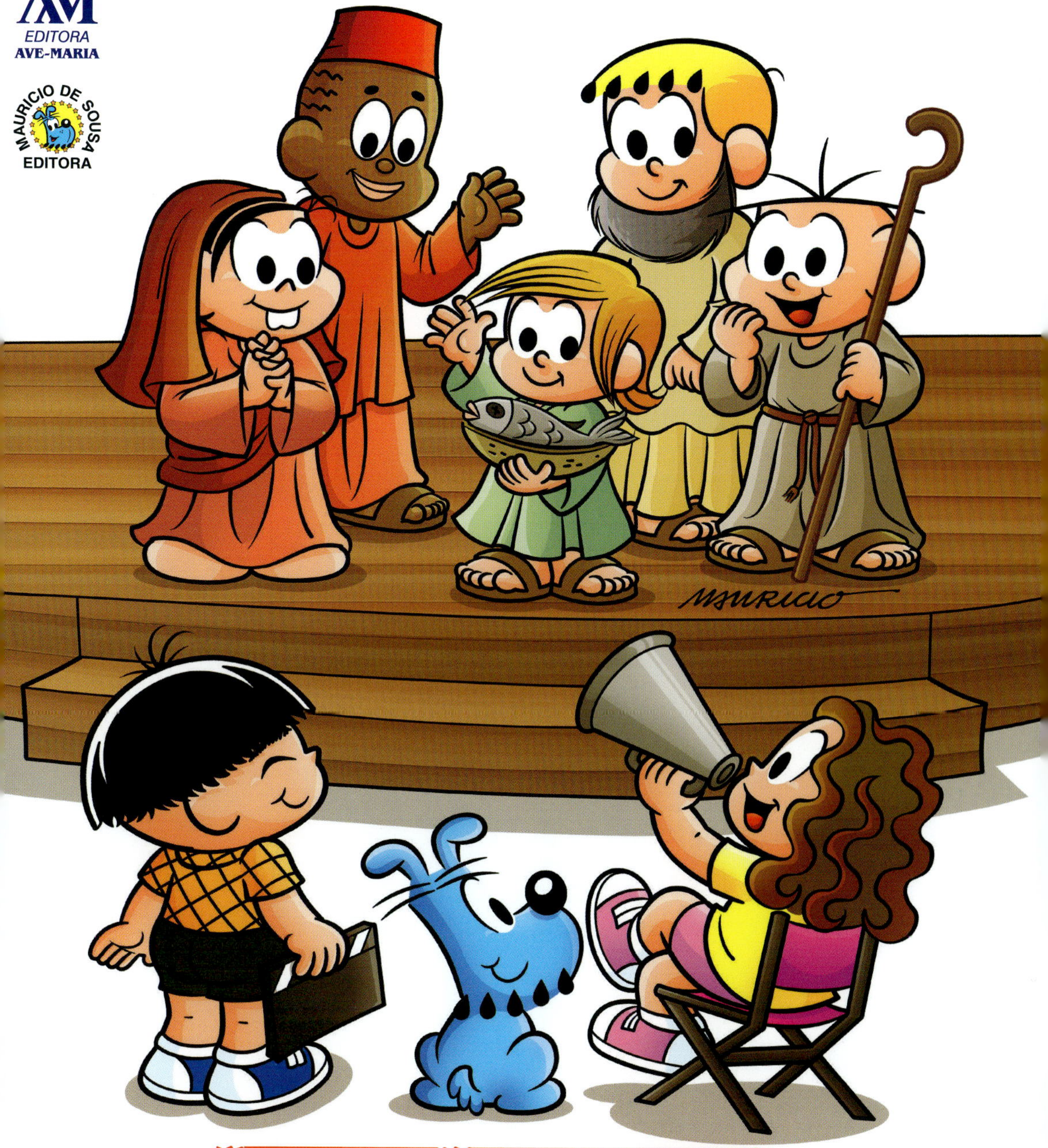


Pe. Luís Erlin · Mauricio de Sousa

Dados Internacionais de Catalogação na Publicação (CIP)
Angélica Ilacqua CRB-8/7057

Erlin, Luís
   Os milagres de Jesus com a Turma da Mônica / Luís Erlin; ilustrações de Mauricio de Sousa - APL - São Paulo: Ave-Maria, 2013.
   64 p. : il., color.

   ISBN 978-85-276-1464-1

   1. Histórias bíblicas I. Título II. Sousa, Mauricio de - APL

13-0536                 CDD 220.9505

Índices para catálogo sistemático:
1. Histórias bíblicas

8ª reimpressão - 2024

**Editora Ave-Maria**
**Diretor-presidente**
Luís Erlin Gomes Gordo, CMF
**Diretor Administrativo**
Rodrigo Godoi Fiorini, CMF
**Gerente Editorial**
Áliston Henrique Monte
**Editor Assistente**
Isaias Silva Pinto
**Preparação e Revisão**
Isabel Ferrazoli e Ligia T. Pezzuto
**Produção Gráfica**
Carlos Eduardo P. de Sousa

Impresso na China

**Estúdios Mauricio de Sousa**
**Presidente:** Mauricio de Sousa
**Diretoria:** Alice Keico Takeda, Mauro Takeda e Sousa, Mônica S. e Sousa
**Mauricio de Sousa é membro da Academia Paulista de Letras (APL)**

**Direção de Arte**
Alice Keico Takeda
**Diretor de Licenciamento**
Rodrigo Paiva
**Editor**
Sidney Gusman
**Assistente Editorial**
Lielson Zeni
**Adaptação de Textos e Layout**
Robson Barreto de Lacerda
**Revisão**
Ivana Mello
**Editor de Arte**
Mauro Souza
**Coordenação de Arte**
Irene Dellega, Nilza Faustino
**Assistente de Departamento Editorial**
Anne Moreira
**Desenho**
Emy T. Y. Acosta
**Arte-final**
Cristiane Colheada, Romeu Takao Furusawa, Viviane Yamabuchi
**Cor**
Giba Valadares, Kaio Bruder, Marcelo Conquista, Mauro Souza
**Designer Gráfico e Diagramação**
Mariangela Saraiva Ferradás
**Supervisão Geral**
Mauricio de Sousa

Texto © 2013 Pe. Luís Erlin
e Editora Ave-Maria. All rights reserved.
Rua Martim Francisco, 636 – 01226-002
São Paulo, SP – Brasil
Tel.: (11) 3823-1060
Televendas: 0800 7730 456
editorial@avemaria.com.br
comercial@avemaria.com.br

www.avemaria.com.br

Condomínio E-Business Park
Rua Werner Von Siemens, 111
Prédio 19 – Espaço 01 - Lapa de Baixo –
São Paulo/SP - CEP: 05069-010
TEL.: +55 11 3613-5000
Ilustrações © 2013 Mauricio de Sousa e
Mauricio de Sousa Editora Ltda.
Todos os direitos reservados.
www.turmadamonica.com.br

# Sumário

As bodas de Caná .................................................................. 8

Pesca milagrosa ................................................................... 14

O paralítico ........................................................................... 18

Multiplicação dos pães ...................................................... 22

A ressurreição da filha de Jairo e a
cura de uma doente ........................................................... 26

A tempestade acalmada .................................................... 32

O leproso agradecido ......................................................... 36

Jesus caminha sobre as águas ......................................... 40

A cura de um paralítico ..................................................... 44

O cego de nascença ............................................................ 48

Ressurreição de Lázaro ..................................................... 54

A transfiguração de Jesus ................................................. 60

## Apresentação

A Turma da Mônica gostou tanto de aprender algumas passagens importantes da história sagrada ao representar, em forma de teatro, as principais passagens bíblicas, que resolveu encenar desta vez alguns milagres realizados por Jesus.

Tantos foram os milagres, que o evangelista João chegou a afirmar que, se escrevêssemos todas as coisas feitas por Jesus, não caberia no mundo, tal a quantidade de livros.

A Turma escolheu doze histórias de milagres. Na Bíblia, doze representa um número infinito, assim como infinitos são os milagres que Jesus realizou e continua realizando em nossas vidas.

# As bodas de Caná
(João 2,1-12)

Esse é o primeiro milagre que Jesus realizou.

Tudo aconteceu em uma festa de casamento na cidade de Caná, na Galileia, na qual Maria, a mãe de Jesus, estava presente. Também haviam sido convidados Jesus e seus discípulos.

As festas de casamento naquele tempo eram bem diferentes das de hoje. As celebrações eram realizadas por partes e não tinham um dia certo para acabar. Algumas duravam até uma semana.

Em um determinado momento, Maria percebeu uma movimentação estranha na cozinha; foi checar e descobriu que o vinho tinha acabado. Ela ficou com pena e pensou na vergonha que os noivos e suas famílias iriam passar na frente dos convidados por causa da falta de vinho bem no meio da festa.

Preocupada, Maria chegou para Jesus e disse baixinho:

— Meu filho, acabou o vinho! pobrezinhos dos noivos.

Jesus respondeu para sua mãe:

— O que nós temos a ver com isso? Minha hora ainda não chegou.

Ele respondeu assim porque imaginava que ainda não era o momento de começar a manifestar ao mundo sua divindade, ou seja, que era o Messias, o enviado de Deus para salvar todas as pessoas.

Porém, Maria sentia em seu coração que a hora de Jesus se manifestar já tinha chegado. Ela foi até a cozinha e disse aos empregados:

— Façam tudo o que meu filho disser a vocês.

Na cozinha havia seis potes de pedra. A capacidade de cada um era de mais ou menos 120 litros.

Jesus se aproximou dos empregados e deu uma ordem:

— Encham os potes com água.

E eles encheram os potes, até que não coubesse mais nem uma gotinha neles.

Jesus fez uma oração em silêncio, e a água se transformou em vinho. Depois ele pediu:

— Tirem uma quantidade do líquido e levem-na ao chefe dos serventes.

E os empregados rapidamente fizeram o que Jesus havia pedido.

O chefe dos serventes não sabia da procedência daquele vinho. Assim que ele provou e percebeu que era muito bom, chamou o noivo e disse:

— Por que você guardou o melhor vinho até agora? É costume em nossas festas servir primeiro o de melhor qualidade e, depois que todos já estão embriagados, servir o pior.

Poucas pessoas ficaram sabendo desse primeiro milagre de Jesus; somente sua mãe, os discípulos e os empregados sabiam da grande maravilha que Ele havia realizado. E essas pessoas viram que Jesus era alguém muito especial, com uma grande missão.

# Pesca milagrosa
(Lucas 5,1-11)

A fama de que Jesus era um homem de Deus já havia se espalhado na região onde morava.

Em todos os lugares pelos quais passava, muita gente o seguia para ouvir suas mensagens de amor.

Em uma manhã, às margens de um lago chamado Genesaré, uma multidão rodeava Jesus. Eram pessoas que desejavam ouvir a Palavra de Deus.

Jesus viu, então, duas barcas paradas na margem. Os pescadores, donos dos barcos, estavam sentados na areia, consertando suas redes de pesca.

Um desses pescadores chamava-se Simão. Jesus subiu em sua barca e pediu para que ele a afastasse um pouco da margem. De dentro dela, ensinava todo o povo.

Assim que terminou de anunciar a mensagem de Deus, Jesus falou para Simão:

— Entre na barca e lance as redes para pescar.

Simão respondeu:

— Mestre, nós trabalhamos a noite inteira e não conseguimos apanhar nenhum peixe, mas, em atenção ao seu pedido, eu vou lançar as redes.

Qualquer pescador sabe que ninguém pesca pela manhã, mas Simão obedece a Jesus.

Tendo feito isso, o pescador apanhou tantos peixes que suas redes quase se romperam. Teve que pedir ajuda aos companheiros de outras barcas, e elas quase afundaram por causa do peso de tantos peixes.

Vendo isso, Simão caiu aos pés de Jesus e exclamou:

— Senhor, afaste-se de mim, pois eu sou um homem pecador.

Simão falou isso por causa de seu espanto diante do milagre que Jesus havia acabado de realizar. Seus amigos Tiago e João, filhos de Zebedeu, compartilhavam do mesmo sentimento.

E Jesus falou a Simão:

— Não tenha medo, pois de agora em diante você será pescador de homens.

Deixando as barcas para trás, os três — Simão, Tiago e João — abandonaram tudo e começaram a seguir Jesus.

Simão, depois de algum tempo, ganhou de Jesus o nome de Pedro, que quer dizer "pedra". A pedra onde a Igreja de Jesus iria ser construída. Mais tarde, Pedro iria se tornar o chefe dos outros apóstolos e seguidores de Jesus.

# O paralítico
(Marcos 2,1-12)

**E**sse milagre aconteceu numa cidade chamada Cafarnaum.

Quando Jesus visitava uns amigos, as pessoas da cidade descobriram sua presença e foram procurá-lo.

Era tanta gente, que a casa onde ele estava hospedado ficou completamente cheia; no quintal também não cabia mais ninguém.

De dentro da casa, com voz firme, Jesus instruía todo o povo.

Quatro homens chegaram carregando um paralítico deitado numa cama. Mas era impossível entrar na casa por causa da multidão.

Os homens então subiram até o teto da casa, levando a cama e o paralítico sobre ela, arrancaram algumas telhas bem em cima do local onde Jesus estava e, com a ajuda de uma corda, desceram o paralítico junto com seu leito.

Jesus ficou surpreso com a fé daqueles homens. E disse ao paralítico:

— Filho, todos os seus pecados estão perdoados.

Só que na casa havia também algumas pessoas que estavam ali para vigiar Jesus, controlar tudo o que Ele vinha fazendo, pois tinham medo do poder que Ele estava adquirindo junto ao povo.

Então, começaram a criticar o que Jesus tinha dito ao paralítico sobre o perdão dos pecados:

— Esse homem está ofendendo a Deus! Quem ele pensa que é para perdoar os pecados? O único que perdoa as faltas que cometemos é Deus!

Jesus percebeu que eles estavam criticando sua atitude e disse:

— Por que vocês pensam essas coisas em seus corações? O que é mais fácil? Dizer que os pecados de alguém estão perdoados ou curar o enfermo? Pois bem, para que vocês vejam que o Filho de Deus tem poder na Terra... — e, se voltando ao paralítico: — eu lhe ordeno, fique em pé, pegue sua cama e vá para sua casa.

No mesmo instante, o paralítico se levantou, pegou ele mesmo a cama na qual estava deitado e saiu andando na frente de todos.

A multidão começou a louvar e a agradecer a Deus, cheia de grande admiração:

— Nunca vimos nada parecido!

# Multiplicação dos pães
(Mateus 14,13-21; Marcos 6,30-44; Lucas 9,10-17; João 6,1-13)

**J**esus quis que alguns de seus amigos também assumissem sua missão: Ele chamou doze dos seus discípulos para serem seus apóstolos, ou seja, pessoas que poderiam representá-lo.

Jesus deu a cada um o poder necessário para realizar as mesmas obras que Ele fazia. Os apóstolos foram enviados para pregar a Palavra de Deus em muitos lugares. Quando retornavam ao lado de Jesus, chegavam cansados, mas cheios de novidades, muito alegres por terem visto as maravilhas que Deus realizara por meio deles.

O milagre da multiplicação dos pães aconteceu logo depois que voltavam de uma dessas missões.

Jesus convidou seus amigos para irem com Ele a um deserto, perto de uma cidade chamada Betsaida, para que pudessem descansar um pouco, longe da agitação.

Porém, assim que o povo ficou sabendo que Jesus e seus apóstolos haviam se retirado para o deserto, foi atrás deles.

Enquanto caminhava junto com o povo, Jesus atendia a todos, falando sobre o Reino de Deus e devolvendo a saúde a muitos doentes.

Começou então a anoitecer. Como estavam longe da cidade, os discípulos, preocupados com aquela grande quantidade de gente, disseram a Jesus:

— Mestre, acreditamos que seria bom se o Senhor se despedisse da multidão para que ela possa voltar às suas casas ou procurar um lugar para se alimentar.

Jesus respondeu a eles:

— São vocês que irão dar de comer a esse povo.

Os discípulos levaram um susto e, pensando que Jesus estivesse brincando, disseram:

— Aqui está um menino, que tem apenas cinco pães e dois peixinhos. Não temos mais além do que ele nos deu. Isso não é nada para essa quantidade de pessoas — e continuaram: — a não ser que o Senhor queira que caminhemos até a cidade para comprar comida a todos eles.

Eram mais de cinco mil homens ali reunidos, sem contar as mulheres e as crianças; ou seja, muita, mas muita gente mesmo.

Jesus disse aos discípulos:

— Façam que todos se dividam em grupos de mais ou menos cinquenta pessoas.

Então Jesus pegou os cinco pães e os dois peixes, olhou para o céu, abençoou-os, repartiu-os e os entregou aos discípulos para que servissem a multidão, sentada em grupos conforme o Mestre havia pedido.

Todos comeram o quanto quiseram e ficaram satisfeitos. Foi algo muito bonito de se ver.

Com a sobra dos alimentos, os discípulos encheram ainda doze cestos.

Esse é o verdadeiro milagre da partilha.

# A ressurreição da filha de Jairo e a cura de uma doente
### (Lucas 8,40-56)

**J**esus estava caminhando e, mais uma vez, uma grande quantidade de gente se espremia para se aproximar dele.

Um senhor chamado Jairo, que tinha uma função muito importante na religião judaica, chegou perto de Jesus e lançou-se aos seus pés, implorando que Ele fosse à sua casa para curar sua filhinha de 12 anos, que estava muito doente.

Jesus se colocou a caminho, porém a multidão o comprimia por todos os lados.

Naquele empurra-empurra, uma senhora que sofria de uma grave doença havia mais de doze anos conseguiu chegar por trás de Jesus e tocou seu manto, na esperança de ficar curada.

Jesus perguntou:

— Quem foi que me tocou?

Ninguém se pronunciou. Foi então que Pedro e os discípulos de Jesus indagaram:

— Mestre, tanta gente o aperta de todos os lados e você pergunta quem o tocou?

Jesus respondeu:

— Eu senti que saiu de mim uma força pelo toque dessa pessoa.

    A mulher confessou que havia sido ela e se jogou aos pés de Jesus, explicando diante de todas as pessoas o grave problema de saúde que estava enfrentando. E naquele exato momento ela testemunhou que tinha ficado curada.

    Jesus disse:

    — Minha filha, sua fé a salvou, siga seu caminho em paz!

    De volta à marcha em direção à casa de Jairo, de repente alguém chegou com a notícia:

    — Jairo, não precisa mais incomodar o Mestre, pois sua filha acabou de morrer.

Jesus também ouviu e afirmou:

— Jairo, não tenha medo, eu só peço que você creia e sua filha será salva.

Ao chegar à casa de Jairo, Jesus chamou os discípulos Pedro, Tiago e João, mais o pai e a mãe da menina, para que entrassem com Ele.

Todo mundo chorava de tristeza, mas Jesus disse:

— Não chorem, pois a menina não morreu, ela só está dormindo.

As pessoas começaram a rir de Jesus, pois sabiam que a menina estava morta.

Jesus segurou a menina pela mão e falou em voz alta: *Talita Cumi*, que significa "menina, levante-se!".

Ela voltou à vida, levantou-se imediatamente e começou a caminhar. Jesus então pediu que alimentassem a criança.

Muito espantados, Jairo e sua esposa agradeceram demais a Jesus, que pediu ao casal que guardasse segredo sobre o que tinha acabado de acontecer dentro da casa deles.

# A tempestade acalmada
(Marcos 4,35-41)

Jesus gostava de usar parábolas para que as pessoas pudessem entender seus ensinamentos. E não tinha quem não se encantasse com essas histórias.

Uma delas, a parábola do semeador, contava sobre um homem que, ao lançar suas sementes em vários tipos de terrenos, percebeu que somente as que caíram em terra boa cresceram e deram frutos. Jesus queria dizer com isso que a terra boa representava as pessoas que acolhiam sua Palavra, e os frutos eram o resultado de suas ações quando colocadas em prática.

Certa vez, sentado à beira-mar, acompanhado dos discípulos e de muita gente que gostava de ouvir suas mensagens de amor, Jesus contou essa e muitas outras parábolas. À tardinha, disse aos seus amigos discípulos:

— Vamos para o outro lado da margem.

Eles se despediram da multidão e subiram nas barcas. Como eles eram muitos, várias barcas acompanharam a travessia.

Em pleno mar, surgiu uma forte tempestade, e os barcos começaram a se agitar violentamente. As ondas eram tão altas, que muita água entrou nas embarcações.

Jesus, porém, parecia não estar nada preocupado com ventos e trovoadas: ele dormia na parte de trás do barco.

Os discípulos, desesperados, acordaram Jesus:

— Mestre, o Senhor não se importa que a gente morra?

Despertado, Jesus ordenou ao vento e ao mar:

— Silêncio! Calem-se!

A tempestade parou na hora, e o mar ficou tranquilo.

Jesus chamou a atenção dos seus amigos:

— Como vocês são medrosos! Será que ainda não têm fé suficiente?

Jesus queria dizer que na sua presença não é preciso ter medo de nada, pois Ele sempre cuidará de nós.

Os discípulos começaram a cochichar:

— Meu Deus! Até o vento e o mar obedecem a Jesus.

# O leproso agradecido
### (Lucas 17,11-19)

Jesus e seus discípulos viajavam para Jerusalém, quando passaram perto da região da Samaria. Resolveram entrar em um povoado para descansar. De longe, um grupo de dez leprosos gritava:

— Jesus, Mestre, tenha compaixão de nós!

A lepra, no tempo de Jesus, era uma doença de fácil contágio. Quem fosse diagnosticado com lepra não podia mais viver com seus familiares e amigos; o doente era obrigado a ficar longe das cidades.

Eles formavam verdadeiras comunidades de enfermos, vagando de um lugar a outro.

E o pior de tudo é que os religiosos do tempo de Jesus acreditavam que a doença surgia na vida de uma pessoa por causa dos pecados que ela havia cometido. Era como se fosse um castigo de Deus. Naquela época, os doentes sofriam mais por causa da rejeição do que da doença em si.

Quem decretava que alguém estava ou não doente era o sacerdote.

Não havia tratamento para essa doença. Por isso, todos tinham medo de chegar perto de um leproso.

Foi por essa razão que os leprosos não se aproximavam de Jesus, mas gritavam de longe.

Jesus, ao ouvi-los, chegou perto deles e disse:

— Vão e se apresentem ao sacerdote.

No caminho, enquanto se dirigiam ao sacerdote, ficaram curados.

Um deles, ao perceber o milagre que tinha acontecido, voltou correndo, dando graças a Deus em voz alta.

Ele se jogou aos pés de Jesus, agradecendo sem parar.

Esse homem era um samaritano, um estrangeiro, muito discriminado por causa de sua origem.

Jesus então perguntou:

— Os outros dez também não foram curados? Onde estão os outros que não vieram agradecer?

E continuou:

— Levante-se e vá! Sua fé o salvou.

Jesus não é como nós, que costumamos escolher a quem ajudar. Ele ama a todos e ensina que devemos sempre fazer o bem sem olhar a quem.

# Jesus caminha sobre as águas
(Mateus 14,22-36)

**M**ais uma vez, Jesus e seus discípulos estavam à beira-mar, caminhando ao lado de várias pessoas.

Depois de mais um dia de muito trabalho, Jesus pediu para seus discípulos entrarem na barca e se dirigirem ao outro lado da margem, enquanto se despedia da multidão. Em seguida, escalou sozinho uma montanha ali perto porque queria rezar um pouco.

A noite chegou e Ele continuava lá, sem ninguém.

Os seus discípulos seguiam mar adentro, remando lentamente sua barca.

Jesus foi ao encontro deles caminhando sobre as águas.

Quando os discípulos perceberam que algo se aproximava, caminhando sobre as águas, começaram a gritar de medo:

— É um fantasma, é um fantasma...

Mas Jesus logo os acalmou:

— Fiquem tranquilos, sou eu. Não tenham medo!

Pedro rapidamente tomou a palavra e falou:

— Senhor, se é você de verdade, faça com que eu caminhe ao seu encontro.

Jesus então o chamou:

— Venha!

Pedro saiu da barca e conseguiu dar alguns passos sobre a água, mas foi só soprar um ventinho, que ele ficou com muito medo e começou a afundar. Então, gritou:

— Senhor, me salve, por favor!

Na mesma hora, Jesus estendeu para ele sua mão e o segurou:

— Homem de pouca fé, você não podia ter duvidado.

Assim que subiram na barca, o vento parou de soprar.

Os discípulos, encantados com o que tinham visto, afirmaram:

— Jesus, você é o Filho de Deus de verdade!

Quando nós acreditamos na Palavra de Jesus e confiamos nele, podemos fazer coisas grandiosas. Porém, nossos olhos e nossos corações devem estar voltados sempre para Jesus; se desviarmos a atenção, podemos perder a fé e afundar nos problemas da vida — foi isso o que aconteceu com Pedro.

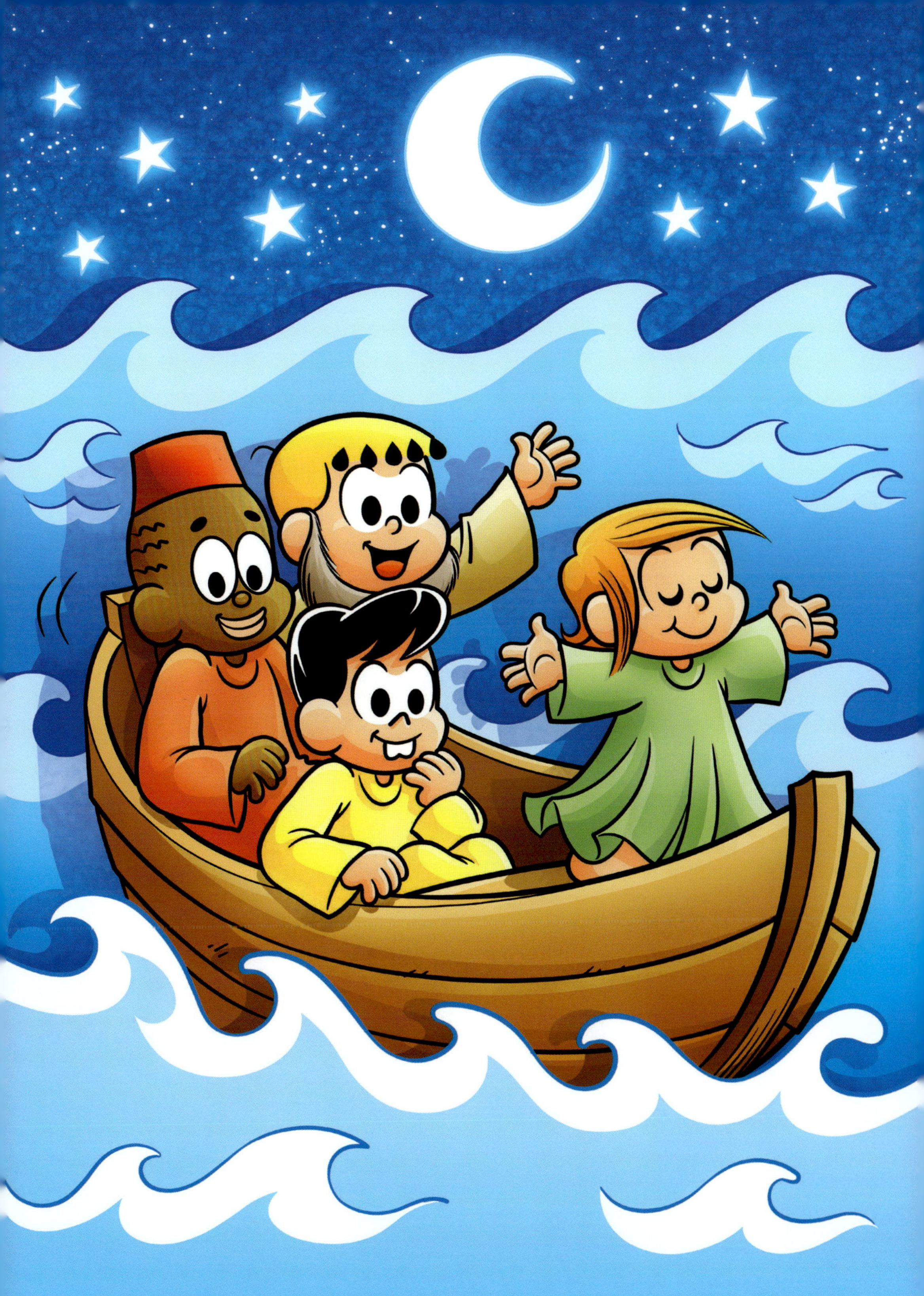

# A cura de um paralítico
(João 5,1-18)

**J**esus foi participar de uma festa religiosa em Jerusalém.

A cidade era toda murada e, perto da chamada Porta das Ovelhas, havia um tanque de água, muito semelhante a uma piscina.

Ao redor do tanque era comum a presença de muitos doentes, cegos, coxos e paralíticos.

É que de vez em quando a água da piscina se agitava, e acreditava-se que o primeiro que entrasse no exato instante do agito das águas ficaria curado de qualquer doença que tivesse.

Um paralítico estava ali deitado, em sua cama, à beira da piscina havia mais de trinta e oito anos.

Ao ver o homem deitado, e sabendo que ele estava ali há tanto tempo, Jesus lhe perguntou:

— Você quer ficar curado?

O enfermo respondeu a Jesus:

— Senhor, não tem ninguém que me coloque dentro do tanque quando a água é agitada. Sempre alguém entra na minha frente.

Jesus, com autoridade, ordenou ao paralítico:

— Levante-se, pegue sua cama e ande.

Na mesma hora, o homem ficou curado, ergueu sua cama e saiu andando.

Mas esse milagre aconteceu num sábado e, segundo a religião judaica, era proibido fazer qualquer tipo de trabalho nesse dia.

45

Aqueles que cumpriam a lei foram até o homem e o avisaram:

— Hoje é sábado; é proibido você carregar sua cama.

O ex-paralítico respondeu:

— Quem me curou disse para eu tomar minha cama e carregá-la.

Os religiosos perguntaram:

— Quem foi esse que lhe deu tal ordem?

Como o homem não sabia a verdadeira identidade de Jesus, não respondeu.

Mais tarde, no templo, Jesus apresentou-se ao homem e revelou que havia sido Ele quem o tinha curado.

Imediatamente, o homem correu ao encontro dos religiosos para contar sobre o que Jesus tinha feito a ele.

Todos os religiosos no templo ficaram muito bravos com Jesus. Então, por essa cura e por tantas outras ações e discursos de Jesus com o objetivo de proclamar a Palavra de Deus, os poderosos passariam a persegui-lo, dizendo que Ele era um desordeiro, que não respeitava a lei de Deus.

# O cego de nascença
(João 9,1-41)

**J**esus caminhava ao lado de seus discípulos, quando viu um cego de nascença, mendigando. Os discípulos de Jesus perguntaram:

— Mestre, quem pecou? Esse homem ou seus pais para que ele nascesse cego?

Jesus respondeu que nem ele nem seus pais haviam pecado, mas a existência daquela enfermidade era para que a glória de Deus se manifestasse nele.

Depois de ter dito isso, Jesus cuspiu no chão e fez uma espécie de lodo, com o qual cobriu os olhos do cego. Em seguida, pediu a ele que se banhasse numa piscina chamada Siloé.

O cego fez o que Jesus pediu e voltou enxergando.

Então, os vizinhos do homem que tinha sido cego a vida inteira surpreenderam-se com o fato de ele agora estar enxergando. E se perguntavam:

— Não é esse o cego que vivia mendigando?

O próprio homem respondeu:

— Sou eu mesmo.

Aquele homem que tinha sido cego foi levado para os fariseus, as autoridades religiosas daquela época, que queriam saber quem o tinha feito enxergar.

O curado disse:

— Foi um homem chamado Jesus.

E deu detalhes de como tudo tinha acontecido.

Mas os fariseus não queriam acreditar de jeito nenhum que aquele homem um dia tivesse sido cego, e chamaram os pais dele para comprovar o milagre.

Temendo a perseguição dos fariseus, os pais do homem curado da cegueira explicaram:

— Sabemos que ele é nosso filho e que nasceu cego, mas não fazemos ideia de como possa ter voltado a enxergar. Perguntem vocês a ele, pois é maior de idade.

Chamaram novamente o homem e lhe perguntaram mais uma vez como sua cegueira tinha sido curada. E ele respondeu:

— Eu já expliquei a vocês, não entendo a razão de quererem ouvir novamente a mesma história. Por acaso querem se tornar discípulos dele também?

Os fariseus ficaram com muita raiva daquele homem, que era uma prova viva do milagre de Jesus, e o expulsaram da cidade.

Jesus soube o que tinha acontecido e, ao encontrar o homem, perguntou-lhe:

— Você crê no Filho de Deus?

— Quem é Ele, Senhor, para que eu creia nele?

— Você está olhando para Ele. Sou eu, aquele que fala com você.

O homem se ajoelhou aos pés de Jesus, dizendo que acreditava, e o venerou.

# Ressurreição de Lázaro
## (João 11,1-44)

**O**s irmãos Lázaro, Maria e Marta viviam na cidade de Betânia. Jesus era muito amigo deles e sempre que podia passava por lá para visitá-los, descansar e se alimentar.

Um dia, Lázaro ficou muito doente, e Jesus foi chamado à casa dos irmãos.

Ao ouvir a notícia da doença de Lázaro, Jesus, que não estava em Betânia, afirmou:

— Essa doença não irá matá-lo, e por meio dela muita gente vai acreditar no Filho de Deus.

Jesus demorou ainda dois dias no lugar onde estava em missão. Passado esse tempo, chamou seus discípulos e os alertou:

— Nosso amigo Lázaro dorme, mas eu vou despertá-lo.

Jesus já sabia que Lázaro havia morrido.

Quando Jesus e seus discípulos chegaram a Betânia, já fazia quatro dias que Lázaro tinha sido enterrado.

Marta, quando ficou sabendo que Jesus estava chegando, correu para encontrá-lo no caminho:

— Senhor, se estivesse aqui, meu irmão não teria morrido. Mas eu sei que Deus sempre o ouve.

Jesus disse:

— O seu irmão voltará à vida.

Marta replicou:

— Eu sei que ele ressurgirá no fim dos tempos.

— Marta, eu sou a ressurreição e a vida, e todo aquele que vive e crê em mim jamais morrerá.

Quando chegaram à residência de Lázaro, a casa estava cheia de gente que tinha ido consolar as irmãs. Maria levantou-se de onde estava e rapidamente foi ao encontro de Jesus.

Maria chorou muito ao abraçá-lo:

— Se o Senhor estivesse aqui, essa tragédia não teria acontecido.

Jesus ficou muito comovido e também chorou. Depois de um tempo, Ele perguntou:

— Onde colocaram o corpo?

E o levaram até o sepulcro, uma gruta fechada por uma grande pedra.

Jesus ordenou:

— Tirem a pedra!

Assustadas, as pessoas disseram que aquilo era uma loucura, pois o corpo já cheirava mal.

Jesus insistiu:

— Se vocês acreditarem sem duvidar, verão a glória de Deus.

Retiraram a pedra, e Jesus ergueu os olhos ao céu. Rezou, pedindo que Deus se manifestasse por intermédio dele para que as pessoas pudessem crer. E gritou:

— Lázaro, venha para fora!

E Lázaro saiu vivo do sepulcro.

# A transfiguração de Jesus
### (Marcos 9,2-13)

Em uma conversa com seus discípulos, Jesus explicou que iria sofrer muito, seria rejeitado, condenado e morto, mas que depois de três dias ressuscitaria, ou seja, voltaria a viver.

Os discípulos não entenderam muito bem o que Jesus estava dizendo.

Seis dias depois dessa conversa, Jesus chamou Pedro, Tiago e João e subiu com eles numa montanha bem alta.

Lá no topo, Jesus foi envolvido numa luz espetacular: suas vestes resplandeciam e ficaram tão brancas que ninguém na terra conseguiria fazer igual.

Nessa hora apareceram Moisés e Elias, dois homens muito importantes na história do povo de Deus e que haviam morrido fazia bastante tempo. Jesus conversava com eles.

Pedro, vendo aquela maravilha, disse:

— Mestre, é muito bom a gente estar aqui. Se quiser, construo três tendas: para o Senhor, para Moisés e para Elias.

O desejo de Pedro era o de ficar ali, contemplando aquela cena para sempre. Só que ele não fazia a menor ideia do que estava dizendo.

Naquela hora todos foram encobertos por uma nuvem, da qual saiu uma voz:

— Este é o meu Filho muito amado, ouçam sempre o que Ele tem a dizer.

Imediatamente a nuvem desapareceu. Os discípulos olharam em volta e não viram mais ninguém, a não ser Jesus.

Enquanto desciam a montanha, Jesus proibiu que dissessem para alguém o que tinha acontecido lá em cima, até que Ele tivesse ressuscitado dos mortos.

A intenção de Jesus não foi a de assustar os discípulos, mas dar uma prova concreta de que a vida não termina com a morte. Que um dia todos nós viveremos juntos no Céu.

Pedro, Tiago e João guardaram esse segredo até o dia em que Jesus venceu a morte, quando então puderam compreender com mais clareza o que o Mestre tinha dito.

Depois que ressuscitou, Jesus continuou realizando muitos outros milagres. Na verdade, todos os dias Ele faz maravilhas em nossas vidas.

Preste atenção e perceberá muitos desses sinais!